Les couleurs primaires

ROMAN

MÉLISSA VERREAULT

À PROPOS DE L'AUTEURE

Mélissa Verreault est une écrivaine québécoise née en 1983. Elle a grandi près de Québec, puis vécu à Montréal durant ses études universitaires. Depuis 2012, elle habite Lévis, où elle s'est établie après avoir passé quelque temps en Italie. Elle a collaboré pendant plusieurs années au magazine montréalais Urbania et commencé sa carrière d'auteure en publiant des nouvelles littéraires dans différentes revues.

Aujourd'hui mère de triplées, elle se consacre à ses enfants et à l'écriture de fiction, en plus d'étudier en traduction et de donner des cours de création littéraire à l'université Laval. Avant *Les couleurs primaires*, elle a publié deux romans, *Voyage léger* (2011) et *L'angoisse du poisson rouge* (2014), ainsi qu'un recueil de nouvelles, *Point d'équilibre* (2012). Son prochain roman, *Les voies de la disparition*, paraîtra à la fin de l'été 2016.

LA COLLECTION MONDES EN VF

Des œuvres littéraires contemporaines
d'auteurs francophones

Collection dirigée par Myriam Louviot
Docteur en littérature comparée

www.**mondes**en**vf**.com

Le site *Mondes en VF* vous accompagne pas à pas pour
enseigner la littérature en classe de FLE avec :
• une fiche « Animer des ateliers d'écriture en classe de FLE » ;
• des fiches pédagogiques de 30 minutes « clé en main » et
  des listes de vocabulaire pour faciliter la lecture ;
• des fiches de synthèse sur des genres littéraires, des
  littératures par pays, des thématiques spécifiques, etc.

 Téléchargez gratuitement
la version audio MP3

Dans la collection Mondes en VF

PREMIÈRE PARTIE

Rouge

Que c'est Camilles age?

Une vie en noir et blanc

Je m'appelle Camille. Depuis dix ans, je suis employée[1] chez un grand fabricant de peinture. Mon rôle est de trouver un nom pour chaque teinte[2] que nous produisons. Chaque année, nous mettons sur le marché près de 2 000 sortes de couleurs. Les clients apprécient cette grande variété. Moi, je la déteste. Parce que cela signifie que tous les ans, je dois trouver 2 000 noms de couleurs originaux.

Je n'aime pas mon travail. En fait, je n'aime pas ma vie en général. J'habite seule dans un grand appartement. Les gens disent souvent que c'est beau chez moi, que j'ai beaucoup de goût. La décoration

---

1. Être employé : *Avoir un emploi, un travail.*
2. Teinte (n.f.) : *Nuance de couleur.*

est épurée[3], les accessoires ont été choisis avec soin. Chaque chose est à sa place, rien ne dépasse. Personnellement, je trouve que ça manque de vie. J'aurais voulu avoir des enfants. Cependant, pour faire des bébés, il est plus pratique d'avoir un partenaire. Cela fait cinq ans que je suis célibataire.

Mon appartement est situé dans le Vieux-Montréal, un quartier chic et branché[4] de la ville. On y retrouve plusieurs bars, restaurants, studios de yoga, galeries d'art et boutiques pour touristes. Je n'ai rencontré l'homme de ma vie dans aucun de ces lieux. Tous les hommes que je croise me semblent fades[5], inintéressants. Ma sœur croit que je suis en dépression. Je pense seulement que mes critères de sélection sont trop sévères.

Heureusement, il y a mon chat Cyrille pour me tenir compagnie[6]. Tous les soirs, lorsque je rentre du travail, il m'attend. Il m'aime beaucoup. C'est normal : c'est moi qui le nourris. Je lui achète toujours les meilleures croquettes[7] et des

---

3. Épuré (adj.) : *Sobre et simple, avec peu d'objets ou d'accessoires inutiles.*
4. Branché (adj.) : *À la mode* (fam.).
5. Fade (adj.) : *Peu intéressant.*
6. Tenir compagnie (expr.) : *Rester avec quelqu'un pour qu'il ne soit pas seul.*
7. Croquette (n.f.) : *Petite boule de nourriture.*

pâtés savoureux[8]. Vers 19 heures, nous mangeons ensemble, en silence. (Je ne mange pas son pâté pour chat, quand même. Ma vie n'est pas si horrible que ça. Je m'achète mes propres repas surgelés). Ensuite, nous regardons généralement la télévision jusqu'à ce que je m'endorme sur le divan. Il m'assiste pendant que je prends mon bain, puis nous nous couchons.

Mon réveil sonne à 6 heures tous les matins. Je ne me lève jamais avant 6 h 45. Il me reste alors trente minutes pour me préparer et prendre le petit-déjeuner. À 7 h 19, je dois être à l'arrêt d'autobus. À 7 h 58, j'arrive au travail. Je dépose mon goûter dans le réfrigérateur de la salle des employés et je me rends à mon bureau. Puis, plus rien.

J'attends que le temps passe.

Depuis trois mois, je n'ai plus d'inspiration[9]. Mon cerveau est vide. Mon cœur aussi. Les idées me manquent. Je regarde mon écran d'ordinateur, l'air perdu. Je vérifie mon courrier électronique toutes les cinq minutes, comme si j'attendais une nouvelle importante. Je ne sais pas exactement ce que j'espère. Il y a peu de chances qu'on m'écrive

---

8. Savoureux (adj.) : *Délicieux, qui a un goût très bon.*
9. Inspiration (n.f.) : *Idées.*

pour m'annoncer que j'ai gagné un million de dollars. Les lettres d'amour envoyées par des inconnus sont plutôt rares elles aussi.

Ma vie est vraiment ennuyante.

Le vide et l'essentiel

Aujourd'hui, au lieu de fixer le vide pendant huit heures, j'ai décidé de commencer à écrire un journal. Si Monsieur Paradis, mon patron, apprenait que j'utilise l'ordinateur de la compagnie pour mes projets personnels, il me convoquerait[10] sûrement dans son bureau. Peut-être même qu'il me mettrait à la porte[11]. Ce serait une bonne nouvelle. Je doute que ça arrivera. Monsieur Paradis sait très bien qu'il ne trouverait personne pour me remplacer, alors jamais il n'oserait me renvoyer.

J'écris ces lignes dans un document que j'ai nommé « Les couleurs primaires ». À force de fréquenter[12] autant de couleurs aux noms étranges

---

10. Convoquer (v.) : *Demander à quelqu'un de venir de manière autoritaire.*
11. Mettre à la porte (expr.) : *Mettre fin à un contrat de travail* (fam.).
12. Fréquenter (v.) : *Passer beaucoup de temps avec. Voir souvent.*

et poétiques, j'ai fini par oublier le nom des couleurs de base. Le nom des couleurs qui comptent vraiment. J'aurais besoin d'un retour à l'essentiel.

Le bonheur est dans le rouge

Ma voisine, Madame Fernandez, est d'origine espagnole. C'est une femme très colorée. Elle est souvent habillée de rouge et d'orangé. Elle porte d'immenses fleurs dans ses cheveux. Lorsqu'elle parle, on dirait qu'elle chante. Elle a 75 ans. On lui en donnerait 25 de moins. Elle dit que c'est le flamenco[13] qui la garde jeune. Encore à son âge, elle donne des cours de danse tous les lundis et jeudis soirs. Je devrais peut-être m'inscrire.

Hier, quand je suis rentrée, ça sentait le safran[14] dans le couloir. Madame Fernandez cuisinait une paëlla en écoutant de la musique. Des airs de guitare légers et envoûtants[15] accompagnaient les parfums de crevettes et de poivrons grillés. Chez moi, tout était silencieux et il y avait une

---

13. Flamenco (n.m.) : *Danse d'origine andalouse (sud de l'Espagne).*
14. Safran (n.m.) : *Épice de couleur orangée.*
15. Envoûtant (adj.) : *Qui charme, fascinant, séduisant.*

forte odeur d'humidité. Cyrille dormait. Il n'est pas venu m'accueillir en ronronnant[16]. Le réfrigérateur était vide.

Je suis ressortie pour acheter du lait et des céréales au supermarché. Une fois de plus, mon dîner ressemblerait plutôt à un petit-déjeuner. Alors que je fermais la porte de l'appartement, Madame Fernandez s'est approchée de moi. Dans ses mains, elle tenait un plat de plastique duquel s'échappait un fumet[17] appétissant.

— Mademoiselle Camille ! a-t-elle lancé avec son accent séduisant. J'ai préparé suffisamment de paëlla pour nourrir l'île de Montréal au complet. Vous en voulez un peu ?

Son sourire était si lumineux. Je n'avais pas le choix d'accepter. J'ai fait « oui » avec la tête.

— Avec un bon verre de vin rouge, ajouta-t-elle, un Tempranillo si possible, vous allez voir, ce sera délicieux !

Je n'avais pas de vin chez moi. J'en bois très peu. De toute façon, je n'ai personne avec qui le partager.

---

16. Ronronner (v.) : *Faire le bruit des chats lorsqu'ils sont contents.*
17. Fumet (n.m.) : *Odeur de nourriture.*

J'ai déposé le plat encore chaud sur le comptoir[18] de la cuisine et, suivant les conseils de ma voisine, je suis allée acheter une bouteille de Tempranillo. Il commence à être temps que j'apprenne à me faire plaisir. Pourquoi attendre de ne plus être seule pour me décider à profiter de la vie ?

Aimée sans le savoir

En buvant mon verre de vin, assise sur le balcon derrière mon appartement, je me suis demandé comment faire pour rendre ma vie moins ennuyante. Je devrais suivre l'exemple d'Amélie Poulain et poser de petits gestes pour agrémenter[19] l'existence des gens qui m'entourent. Envoyer des fleurs ou des ballons à de vieilles connaissances, sans raison. Choisir des personnes au hasard dans le bottin[20] téléphonique et les appeler pour leur souhaiter bonne journée. Écrire des lettres d'amour enflammées[21] à des étrangers. Cette dernière idée

---

18. Comptoir (n.m.) : *Surface de travail où on prépare les repas.*
19. Agrémenter (v.) : *Rendre agréable.*
20. Bottin (n.m.) : *Annuaire téléphonique, livre avec tous les numéros de téléphone des habitants d'une ville.*
21. Enflammé (adj.) : *Passionné.*

m'a amenée à me poser une question : est-ce qu'un homme a déjà été amoureux de moi sans me le dire ? Ça peut sembler stupide comme questionnement, mais moi, ça me ferait du bien de savoir que quelqu'un, quelque part, m'a déjà aimée en secret.

Moi-même, j'ai souvent été amoureuse de garçons sans le leur avouer. L'inverse[22] doit donc être possible. Il existe probablement, en un endroit sur cette planète, une personne qui n'a jamais osé me révéler ses sentiments.

Il faut que je trouve cet individu.

Le cœur à la bonne place

Depuis hier, je pense à cette idée folle : partir à la recherche de celui qui m'aime en secret. Peut-être qu'il n'existe pas, peut-être que je me fais des idées, mais si, au contraire, cet homme est bel et bien réel, je dois retrouver sa trace. Cela changera sans doute ma vie. Elle aura un sens, puisque que quelqu'un lui aura déjà accordé de l'importance. Ma solitude deviendra moins lourde à porter.

---

22. L'inverse : *Situation contraire, opposée.*

Où ai-je le plus de chances de trouver cet amoureux inconnu ? Probablement dans mon village natal[23], là où j'ai grandi. Il y a sûrement un Kevin ou un Alexandre qui avait le béguin[24] pour moi à l'époque de l'école primaire. Et pourquoi pas un Michel ou un Luc qui rêvaient de m'embrasser quand nous étions adolescents ?

Je dois contacter ce Kevin, cet Alexandre, ce Michel ou ce Luc, leur dire que je suis désolée. M'excuser de ne pas avoir vu qu'ils me regardaient avec désir et passion. J'aurais dû être plus attentive. J'ai toujours eu la manie[25] de tomber amoureuse des mauvais garçons. Mon cœur s'attache à ceux qui ne veulent rien savoir de moi. Je fonds[26] pour des chanteurs de rock inaccessibles ou des hommes d'affaires déjà mariés. Difficile de fonder une famille avec un homme qui est toujours parti en tournée ou qui doit rejoindre sa femme et ses enfants à la fin de la soirée.

Oui, c'est ça : je n'ai pas regardé là où il fallait. L'homme de ma vie est certainement quelqu'un

---

23. Natal (adj.) : *En lien avec le lieu de naissance. « mon village natal » : le village où je suis née.*
24. Avoir le béguin (expr.) : *Être un peu amoureux.*
25. Manie (n.f.) : *Mauvaise habitude.*
26. Fondre (v.) : *Ici, tomber amoureux, être séduit.*

de discret et timide. Je l'imagine calme, qui n'élève jamais la voix, qui a de la difficulté à approcher les autres mais qui, pourtant, a mille choses intéressantes à raconter. Moi qui ai toujours cherché des gars[27] drôles, excentriques[28] et bavards, je n'étais décidément pas sur la bonne piste.

Samuel

Au travail, nous sommes deux à occuper le même poste. Mon collègue se nomme Samuel. C'est un grand brun aux yeux foncés et à la peau claire. Il aime cuisiner et aller au cinéma. C'est à peu près tout ce que je sais de lui. Il passe ses journées assis à trois mètres de moi, toutefois, nous échangeons peu de paroles autres que « bonjour » et « bonne soirée ». J'ignore s'il a une copine. Sûrement. Il est plutôt mignon, en plus de posséder une voix grave et réconfortante[29].

Si je veux partir à la recherche de celui qui m'aime ou qui m'a aimée sans jamais avoir eu

---

27. Gars (n.m.) : *Garçon ou homme* (fam.).
28. Excentrique (adj.) : *Original, inattendu, qui ne suit pas les conventions, qui attire l'attention.*
29. Réconfortant (adj.) : *Qui apporte du réconfort, rassurant.*

le courage de me l'avouer, je vais devoir prendre un congé[30] de quelques jours. Pour cela, l'aide de Samuel sera nécessaire. S'il accepte de s'occuper de mes dossiers, Monsieur Paradis me laissera peut-être m'absenter[31]. Voilà deux ans que je n'ai pas pris de vacances. Mon patron me doit bien une semaine de liberté.

– Des vacances ? demande Samuel. Super ! Tu veux aller où ? Dans le Sud ? Il paraît qu'on mange très bien et que les plages sont superbes au Mexique.

– Non, je vais plutôt aller dans le Nord. À Baie-Comeau.

– Qu'est-ce que tu vas faire là ?

– Je suis originaire de là-bas.

– Tu vas rendre visite à tes parents ?

– Mes parents sont morts.

– Oh, désolé.

– Tu ne pouvais pas savoir. Ils sont morts, mais leur maison se trouve toujours à Baie-Comeau. Ma sœur n'en voulait pas, donc c'est moi qui en ai hérité[32]. Je la loue depuis leur disparition.

---

30. Prendre un congé (expr.) : *Prendre des vacances.*
31. S'absenter (v.) : *Partir, ne pas être là.*
32. Hériter (v.) : *Recevoir quelque chose à la mort de quelqu'un.*

— Tu vas là-bas pour t'occuper de la maison ?

— Non, non. Pour retrouver quelqu'un.

— Un ami d'enfance ?

— Si on veut.

De prétendus prétendants[33]

Monsieur Paradis a finalement accepté que je parte une semaine. C'est étonnant. Il est du genre à[34] penser qu'un bon employé devrait passer au moins 80 heures par semaine au bureau et ne pas avoir de vie en dehors de son travail. Il est peut-être malade. Les gens souffrants[35] deviennent souvent plus sympathiques. Comme si en étant gentils, ils avaient une chance de guérir plus rapidement. Pourtant les gens bons meurent autant que les méchants, peut-être même plus souvent. Après tout, ne dit-on pas que les meilleurs partent en premier ? Enfin, j'accepte la générosité inhabituelle de Monsieur Paradis avec plaisir. Et j'espère qu'il ne

---

33. Prétendant (n.m.) : *Homme qui souhaite épouser une femme.*
« prétendus prétendants » : ceux qui pourraient sembler des amoureux possibles.
34. Être du genre à (expr.) : *Faire partie des gens qui...*
35. Souffrant (adj.) : *Qui souffre, malade.*

profitera pas de mon absence pour mourir. Je n'ai aucune envie d'assister à des funérailles[36] à mon retour. Mais je divague[37]. Je devrais me concentrer sur l'objet de mon enquête : l'amoureux silencieux.

Puisque la maison de mes parents est louée, j'ai réservé une chambre au motel La Caravelle. Cet endroit m'a toujours paru peu accueillant, avec sa décoration qui n'a pas changé depuis les années 1970. Aujourd'hui, cela me semble le décor idéal pour une enquêtrice[38] comme moi, investie[39] d'une mission incroyable.

Dans ma valise, je prends soin de déposer mon album de finissants[40], ainsi que le vieux répertoire[41] téléphonique qui contient les numéros de tous mes amis d'enfance et d'adolescence. Ces deux

---

36. Funérailles (n.f.pl.) : *Cérémonies qui accompagnent l'enterrement de quelqu'un (lorsque quelqu'un est mort).*
37. Divaguer (v.) : *Dire des choses qui n'ont pas de sens.*
38. Enquêtrice (n.f.) : *Personne qui mène l'enquête, qui essaie de savoir quelque chose en rassemblant des indices (comme dans un roman policier).*
39. Investi d'une mission : *À qui on a confié une mission ou qui s'est lui-même fixé une mission.*
40. Finissant (n.m.) : *Au Québec, ce sont les étudiants qui terminent un cycle d'études. À la fin de l'école secondaire, les finissants font un album appelé « album des finissants ».*
41. Répertoire téléphonique (n.m.) : *Liste de numéros de téléphone, généralement en ordre alphabétique, contenue dans un cahier.*

outils m'aideront certainement à mettre la main sur quelques suspects. Ou prospects[42], plutôt. De prétendus prétendants.

Madame Fernandez prendra soin de Cyrille durant mon absence. Ce dernier me regarde avec un air détaché[43]. Je crois qu'il fait semblant d'être fâché. Je ne l'ai jamais abandonné aussi longtemps. Il s'en remettra. Et je m'en remettrai. Du moins, je suppose.

---

42. Prospects (anglais) : *Signifie « client potentiel », utilisé parfois au Québec pour désigner des « amoureux potentiels ».*
43. Détaché (adj.) : *Indifférent.*

DEUXIÈME PARTIE

Bleu

Colombo mange de la soupe instantanée

Il fait très froid dans la chambre du motel. Le chauffage ne fonctionne pas bien. La peinture sur les murs s'écaille[44]. Je crois qu'il s'agit de la teinte *Pluie printanière*. Une sorte de bleu gris qui n'est plus vraiment à la mode. Pour me réchauffer, je me suis préparé un bol de soupe instantanée au goût de poulet et nouilles. C'était tellement salé que j'ai dû boire trois litres d'eau depuis le début de la soirée.

De vieux épisodes de Colombo passent à la télévision. Je les regarde d'un œil distrait, tout en feuilletant mon album de finissants. Comme le célèbre inspecteur[45], je suis à la recherche d'un

---

44. S'écailler (v.) : *Se détacher et tomber par petites plaques minces et légères.*
45. Inspecteur (n.m.) : *Dans la police, personne chargée de mener une enquête.*

indice[46] qui pourrait me lancer sur la piste de l'amoureux silencieux.

À la fin de l'album, plusieurs camarades de classe avaient rédigé[47] un petit mot pour me témoigner leur amitié. « Tu es drôle et intelligente, tu iras loin dans la vie. » « On n'a pas eu l'occasion de se connaître beaucoup, mais tu as l'air gentille. » « Tu as de très beaux cheveux, je suis jalouse ! » Ces phrases qui ne veulent rien dire ont été écrites par des personnes que je n'ai plus revues depuis. Cynthia Savard, David Lebœuf, Marie-Ève Talbot. Elles n'ont jamais vraiment été mes amies, simplement des connaissances. Seulement, pour être « cool », il fallait demander au plus grand nombre de gens possible de signer notre album. Plus on avait de messages, plus on était apprécié. Parmi la cinquantaine de messages que j'avais récoltés, seulement deux ou trois devaient être sincères.

Joliane Saint-Gelais, Karine Desforges et Stéphanie Dumoulin avaient véritablement compté pour moi. Nous étions toujours ensemble.

---

46. Indice (n.m.) : *Signe qui peut aider à deviner ou comprendre quelque chose de caché.*
47. Rédiger (v.) : *Écrire.*

Le fait de nous voir huit heures par jour à l'école ne nous suffisait pas : le soir, nous nous appelions et discutions pendant des heures au téléphone. Lorsque nos mères nous obligeaient à raccrocher, on continuait de se raconter nos vies dans d'interminables lettres qu'on s'échangeait le lendemain matin. Je me demande ce qu'on trouvait tant à se dire. Qu'est-ce que des gamines de 14 ans peuvent avoir de si intéressant à se raconter ?

J'avais gardé toutes les lettres que Joliane, Karine et Stéphanie m'avaient adressées. Malheureusement, mes parents se sont fait cambrioler[48] durant l'été 1999 et le voleur est parti avec la boîte de souvenirs dans laquelle je les avais rangées. J'ignore si les autres filles ont gardé ces vestiges[49] de notre adolescence. Je devrais les appeler. Peut-être qu'elles pourraient faire avancer mon enquête.

– Bonsoir, est-ce que je parle bien à Madame Saint-Gelais ?

– Non, désolée, vous êtes au mauvais numéro.

– Oh, pardon de vous avoir dérangée, Madame.

---

48. Se faire cambrioler : *Se faire voler ses affaires par des gens qui sont entrés dans sa maison.*
49. Vestige (n.m.) : *Ce qui reste, une trace, un souvenir.*

Ça commence mal. Les parents de Joliane n'ont plus le même numéro de téléphone. Peut-être aurai-je plus de chance avec les Desforges ?

— Allô ?

— Bonsoir. Je cherche Karine Desforges. Vous la connaissez ?

— Qui parle ?

— Je suis Camille, une de ses anciennes camarades de classe.

— Camille ? Camille Beaudoin ?

— Oui, c'est ça. Vous êtes madame Desforges ?

— Mais non, c'est moi, Karine !

— Tu habites encore chez tes parents ?

— Non, non. Je suis venue pour aider ma mère. Nous organisons un grand dîner de famille demain. Mais toi, tu es où ? Que deviens-tu ? Wow, ça fait des millénaires qu'on ne s'est pas parlé !

— Effectivement. Il y a presque 20 ans. C'est fou !

— Tu es encore dans la région ?

— Non, j'habite Montréal maintenant. Je suis de passage à Baie-Comeau pour quelques jours. J'ai des affaires à régler.

— Dis donc, tu n'aurais pas envie de venir faire un tour à notre dîner demain ? Ça me ferait vraiment plaisir de te revoir. Je suis sûre que mes parents aussi seront contents d'avoir de tes nouvelles. Et il y aura ma sœur, mon frère, que tu connais très bien. On a tellement de choses à se raconter !

– Je ne sais pas. Ça me gêne un peu…

– Allez, ne sois pas timide. Dis oui ! Ça sera comme dans le bon vieux temps !

– D'accord. Si tu y tiens. Je dois apporter quelque chose ?

– Laisse tomber, il y a déjà beaucoup trop de nourriture avec ce que ma mère et moi avons préparé aujourd'hui !

– À demain alors.

– On t'attend vers 18 heures. La maison n'a pas changé de place !

Certaines choses changent, d'autres pas. Elles restent comme figées[50] dans le temps et dans l'espace. Des points de repère inébranlables[51] qui nous rappellent qui nous avons été.

---

50. Figé (adj.) : *Qui ne bouge pas, fixe, bloqué.*
51. Inébranlable (adj.) : *Impossible à faire bouger ou à changer.*

La machine à rumeurs

Je me suis réveillée très tôt, avant le lever du soleil. J'étais trop excitée. Avant d'aller chez les Desforges pour le repas du soir, j'ai décidé de partir à la recherche de témoins potentiels[52]. Des gens qui se rappelleraient qui je suis, qui ont connu des personnes que j'ai fréquentées[53] et qui pourraient savoir des choses à mon sujet.

Je commence ma tournée par un arrêt au café Tim Hortons du boulevard La Salle. Je sais que les bavards et les curieux du village se donnent rendez-vous là-bas pour discuter de tout et de rien. Toutes les rumeurs de Baie-Comeau partent de cet endroit.

Je commande un beigne[54] à la crème et un chocolat chaud. Le visage de la caissière[55] m'est familier. C'est une femme plutôt ronde, dans la cinquantaine, aux yeux turquoise et aux cheveux très courts, teints en rouge. Céline. Elle s'appelle Céline. Ça me revient : elle était la secrétaire

---

52. Potentiel (adj.) : *Possible, qui pourrait exister.*
53. Fréquenter (v.) : *Voir quelqu'un régulièrement ou aller régulièrement dans un lieu.*
54. Beigne (n.m.) : *Sorte de gâteau sucré. En France, on dit plutôt un beignet, au Québec, un beigne.*
55. Caissière (n.f.) : *Personne qui travaille à la caisse dans un magasin, à qui on paie ce qu'on achète.*

de mon école primaire. Elle connaissait tout sur chacun des élèves. Elle voyait passer ceux qui étaient convoqués au bureau du directeur, les parents choqués d'apprendre que leurs enfants avaient reçu une retenue[56], les professeurs très fatigués qui n'arrivaient plus à garder le contrôle de leur classe. Elle devait sûrement connaître des secrets que tout le monde ignorait.

– Bonjour, Céline !

– Bonjour, Mademoiselle. Nous nous connaissons ?

– Je m'appelle Camille. J'ai étudié à l'école Saint-Cœur-de-Marie.

– Oh ! Tu te rappelles de moi !

– Bien sûr. Je me souviens que tous les élèves vous aimaient.

– Ah, mes petits élèves d'amour ! Je m'ennuie d'eux parfois.

– Pourquoi vous ne travaillez plus à l'école ?

– J'ai pris ma retraite.

– Votre retraite ? Mais vous êtes encore si jeune !

---

56. Retenue (n.f.) : *Punition d'un élève qui doit rester à l'école après les cours.*

– N'essaie pas de me flatter[57]. Je suis vieille !
J'ai 73 ans. Déjà…

– Alors qu'est-ce que vous faites au Tim
Hortons ?

– Je travaille ici à temps partiel. J'avais besoin
de voir du monde. C'est ennuyant la retraite, si tu
savais !

– Vous avez droit à une pause-café ?

– Bien sûr. Pourquoi ?

– Vous accepteriez de la partager avec moi ?

– Avec plaisir ! Dans vingt minutes je suis à
toi, si tu as le temps de m'attendre.

– Sans problème.

Céline est venue me rejoindre. Nous discutons
de ses nouveaux passe-temps de retraitée. Elle fait
de la peinture, joue au Bridge, assiste à des concerts.
Et travaille au Tim Hortons. Parce qu'elle s'ennuie
toute seule chez elle, mais aussi parce que sa retraite
ne suffit pas à payer toutes les factures.

Je pourrais l'écouter se confier pendant des
heures. Cependant, si je veux faire avancer mon
enquête, je dois l'interrompre et lui poser des
questions plus directes.

---

57. Flatter (v.) : *Faire des compliments à une personne pour avoir
quelque chose.*

— Est-ce que certains jeunes vous faisaient des confidences[58] parfois ?

— Quand je travaillais à l'école ? Tout le temps !

— C'est vrai ? Et quel genre d'histoires ils vous racontaient ?

— Tout ce que tu peux imaginer de plus fou. Des choses extrêmement tristes, d'autres très drôles. Certains me racontaient que leurs parents les battaient ou que leur grand-mère était morte. D'autres encore me questionnaient sur comment on fait les bébés ou sur la meilleure façon de demander à un garçon de les embrasser ! C'était mignon comme tout.

— J'imagine ! Et je suis sûre que les garçons vous racontaient aussi parfois leurs histoires de cœur[59].

— Oh, c'est bien possible. Je ne me rappelle plus les détails. C'était il y a longtemps.

— Évidemment.

— Dis donc, tu es très curieuse. Tu cherches à savoir quelque chose par rapport à une personne en particulier ?

— Oui. Par rapport à moi.

---

58. Confidence (n.f.) : *Chose secrète qu'on dit à quelqu'un en qui on a confiance.*
59. Histoire de cœur (expr.) : *Histoire d'amour.*

Finalement, j'explique à Céline la raison de ma venue à Baie-Comeau. Comme je m'y attendais, elle trouve mon entreprise complètement loufoque[60]. Mais mon histoire l'amuse et elle souhaite m'aider. Elle me conseille de rendre visite à Monsieur Lebreux, le propriétaire du garage du même nom. Puisque tout le monde à Baie-Comeau possède une voiture, la plupart des gens, un jour ou l'autre, finissent par avoir recours à ses services. Et, pour une raison mystérieuse, ils ont tendance à s'ouvrir facilement à leur garagiste. Ils supposent probablement que ce dernier ne les écoute pas vraiment et qu'ils peuvent donc lui dire tout ce qui leur passe par la tête. Or, Monsieur Lebreux, lui, écoute tout et, surtout, se rappelle de tout. Il a une mémoire incroyable. Surtout pour les noms, les visages et les commérages[61]. Je n'ai pas d'autre choix que d'aller le saluer.

Céline a terminé sa pause-café depuis de longues minutes déjà. Elle doit retourner travailler si elle ne veut pas avoir d'ennuis avec son patron. Avant de me laisser partir, elle me prend dans ses bras et me serre longuement contre elle. Ma

---

60. Loufoque (adj.) : *Étrange et drôle, comique.*
61. Commérage (n.m.) : *Dire des mauvaises choses à propos de quelqu'un.*

présence semble avoir réveillé plusieurs souvenirs et l'avoir rendue nostalgique[62]. Je crois apercevoir une larme couler sur sa joue, tandis qu'elle me fait au revoir de la main.

Le grand livre des secrets

Roger Lebreux m'accueille avec un sourire aussi large que ses énormes mains de garagiste.

– Bonjour ma petite dame, s'exclame-t-il. Que puis-je faire pour vous aujourd'hui ?

– Eh bien, j'aimerais que vous m'aidiez à retrouver quelqu'un.

– Oh, mais vous vous trompez ; le poste de police, c'est à deux coins de rue d'ici. Moi, je tiens un garage. Si vous voulez, je peux vous aider avec votre silencieux, changer un pneu ou réparer votre climatisation[63].

– Oui, je sais, mais en ville, on m'a dit que vous connaissiez tout le monde et ses secrets.

– Qui vous a dit ça ?

---

62. Nostalgique (adj.) : *Qui pense au passé avec tristesse.*
63. Climatisation (n.f.) : *Système de ventilation d'air froid ou chaud.*

– Ce n'est pas important. Ce qui compte, c'est de savoir si c'est vrai.

– Je vois. J'ignore[64] ce que vous pensez pouvoir apprendre en venant ici, mais je peux vous dire une chose : je n'aime pas faire du mal aux gens. Donc si vous souhaitez vous venger [65]de votre ancien petit ami ou faire du tort à votre voisin, je ne peux rien pour vous.

– Non, non, pas du tout. Au contraire, c'est par amour que je viens vous voir.

– C'est-à-dire ?

– Je cherche un garçon qui a déjà été amoureux de moi.

– Comment il s'appelle ?

– Aucune idée.

– De quoi il a l'air, alors ?

– Je n'en sais rien.

– Vous savez qui c'est, ce garçon, au moins ?

– Non. Justement, c'est pour cette raison que je suis venue vous voir.

– Je ne suis pas sûr de saisir[66]…

---

64. Ignorer (v.) : *Ne pas savoir.*
65. Se venger (v.) : *Faire du mal à quelqu'un qui vous a fait du mal.*
66. Saisir (v.) : *Ici, comprendre.*

— En fait, j'aurais besoin que vous m'aidiez à comprendre si quelqu'un dans cette ville a déjà été amoureux de moi sans me le dire.

— Sans vous le dire, hein ? Et que vous êtes bizarre, ça, on vous l'a déjà dit ?

— Je sais que ma demande est plutôt inhabituelle, mais c'est vraiment important pour moi.

— Je veux bien, mais je ne vois pas comment je pourrais vous être utile.

— Vous à qui les gens disent tout, il y a sûrement déjà quelqu'un qui vous a parlé de ses sentiments pour une jeune femme.

— Oh, ça oui ! Mais vous n'êtes pas la seule jeune femme dans le coin, vous savez ? D'ailleurs, j'ignore qui vous êtes.

— Camille. Je m'appelle Camille Beaudoin.

— Camille Beaudoin, la fille de Raymond Beaudoin ?

— Oui, c'est ça.

— Oh, ma pauvre. Désolé pour tes parents. Ils sont partis si jeunes…

— Ce n'est pas grave. Ça fait longtemps maintenant.

— Laisse-moi aller voir quelque chose. Je reviens…

Roger disparaît dans l'arrière-boutique. Il fait beaucoup de bruit, déplace des meubles, semble chercher un objet en particulier. Une grande vitre sépare le poste d'accueil de son bureau. Derrière celle-ci, une montagne d'objets divers se dresse : des papiers froissés[67], un calendrier de 1978, des enjoliveurs[68], des bouteilles d'huile à moteur, des boulons[69], des ampoules, des pinces, des tournevis, des pneus, des canettes de boisson gazeuse vides, etc. Je ne peux pas voir ce que fait Roger. Au bout de dix minutes, il finit par réapparaître, un grand cahier bleu dans les mains.

– Tout est là, lance-t-il.

– C'est-à-dire ?

– Les secrets. Ils sont tous répertoriés ici.

– Vous êtes sérieux ?

– Oui, oui. Les gens croient que j'ai une mémoire d'éléphant, en fait, je suis seulement organisé. Je note tout. Chaque fois que quelqu'un me fait une confidence, je l'inscris dans mon livre.

---

67. Froissé (adj.) : *Plié, déformé, abîmé.*

68. Enjoliveur (n.m.) : *Partie ronde en métal qui décore les roues des voitures.*

69. Boulon (n.m.) : *Petite pièce de fer servant à relier, à fixer des pièces entre elles.*

– Depuis quand tenez-vous ce registre[70] ?

– Depuis 1975, l'année où j'ai ouvert mon commerce.

– Incroyable.

Roger m'explique sa technique de classification des informations. Il améliore son système depuis 40 ans. En moins de trente secondes, il parvient à mettre le doigt sur un nom, un détail, un lieu, une histoire. Il a la réponse à presque toutes les questions. Il saura certainement m'éclairer.

Il commence par chercher mon nom dans son grand livre. Rien. Nulle part ne se trouve « Camille Beaudoin ». Personne n'a donc jamais parlé de moi à Roger. D'un côté, c'est probablement une belle chose. La plupart du temps, lorsqu'on parle de quelqu'un en son absence, ce n'est pas pour en dire du bien. Bonne nouvelle : personne n'a parlé de moi en mal. Ce qui ne m'aidera pas à faire avancer mon enquête.

Roger me demande quelle rue j'habitais lorsque j'étais enfant. « Avenue Bellevue ». Le grand livre des secrets contient une seule référence à l'avenue Bellevue. Il y est question d'une dispute

_____

70. Registre (n.m.) : *Cahier dans lequel on note, on enregistre des faits.*

entre voisins à propos d'un arbre appartenant à l'un et dont les racines envahissaient le terrain de l'autre. Bref, ça n'a rien à voir avec la question qui m'intéresse.

Nous cherchons ensuite le nom de ma sœur. « Sarah Beaudoin » a plus de chance que moi : quelqu'un l'a déjà mentionnée[71] lors d'une conversation avec Roger. J'apprends des choses que j'aurais préféré ne pas savoir… Ma sœur et moi avons toujours été très différentes. Disons que lorsque nous étions adolescentes, elle portait des jupes plus courtes que les miennes. Sa réputation était celle d'une fille facile. J'avais toujours cru que c'était une affirmation sans fondements[72]. Toutefois, d'après le livre bleu, les rumeurs disaient vrai et Sarah couchait avec n'importe qui. Enfin, une fille fait bien ce qu'elle veut de sa vie.

Toutes les pistes que nous explorons se révèlent décevantes[73]. Le grand livre des secrets ne contient rien sur Gina Sabourin, ma mère, ni sur Raymond Beaudoin, mon père, ni sur Bidule, le chien que j'avais quand j'étais jeune, ni sur Karine

---

71. Mentionner (v.) : *Parler de quelqu'un et donner son nom.*
72. Affirmation sans fondement (n.m.) : *Déclaration qui n'est pas vraie.*
73. Décevant (adj.) : *Qui ne répond pas aux espoirs de quelqu'un.*

Desforges, ma meilleure amie pendant des années. Le seul lien entre moi et une des informations contenues dans le livre est celui-ci : « École Saint-Cœur-Marie – le petit Joseph Laprise, élève de 4ᵉ année, rêve de devenir coiffeur. »

Je suis allée à l'école Saint-Cœur-de-Marie en 4ᵉ cette année-là. Je ne me rappelle pas d'un Joseph Laprise. Il me faut aller à sa rencontre.

La tête de l'emploi

Il me suffit de taper[74] « Joseph Laprise coiffeur » dans Google pour retrouver la trace du petit garçon qui rêvait de devenir coiffeur. Il semble qu'il ait réalisé son rêve. Je suis bien heureuse pour lui. J'espère qu'il pourra m'aider à réaliser le mien.

Joseph travaille au salon de coiffure situé dans le Centre Manicouagan du boulevard Laflèche. Il a réalisé son rêve, c'est vrai, mais il ne faut pas croire que tout s'est passé exactement comme il l'avait souhaité. Probablement avait-il désiré ouvrir son propre salon, dans un endroit branché, fréquenté

---

74. Taper (v.) : *Ici, appuyer sur les touches du clavier d'un ordinateur pour écrire.*

par les gens riches et célèbres. Il doit se contenter de la clientèle économe[75] d'un centre commercial de banlieue.

– Bonjour, est-ce que Joseph travaille aujourd'hui ?

La demoiselle qui fait semblant d'être occupée derrière le comptoir d'accueil et à qui j'ai posé cette question me regarde avec un air méprisant[76].

– Oui.

– Est-ce que je pourrais le voir ?

– Vous avez un rendez-vous ?

– Non.

– Pas de rendez-vous, pas de Joseph.

– Je peux en prendre un alors ?

– Ça dépend.

– De quoi ?

– Je vais devoir vérifier s'il a encore des disponibilités[77].

– OK. Je quitte Baie-Comeau en début de semaine prochaine.

---

75. Économe (adj.) : *Qui essaie de ne pas trop dépenser d'argent.*
76. Méprisant (adj.) : *Qui a un sentiment de supériorité. Qui pense être mieux que les autres.*
77. Disponibilité (n.f.) : *Ici, des horaires où il est libre, où il a du temps pour la recevoir.*

– Ouf ! Je ne sais pas si je vais réussir à vous trouver un moment d'ici là. Joseph est très populaire auprès de notre clientèle, vous savez…

– Le salon est vide pourtant…

– Vous avez de la chance. Il a une place dans 5 minutes.

Cette fille aime décidément se faire croire qu'elle est importante. En plus, ses cheveux bleu délavé[78] lui enlèvent toute crédibilité[79]. On l'imaginerait davantage chanteuse dans un groupe grunge des années 1990 que coiffeuse. Quand j'étais petite, ma mère disait toujours que c'était mauvais pour la santé d'entretenir des préjugés[80]. Elle avait sans doute raison. Par contre, il faut reconnaître que cela fait parfois du bien de juger les gens désagréables : ça aide à faire passer la frustration[81] qu'ils éveillent en nous.

Je m'installe dans la salle d'attente et regarde quelques revues. Un changement de tête n'est pas une mauvaise idée finalement. Ça fait des années

---

78. Délavé (adj.) : *Qui a un peu perdu sa couleur.*
79. Crédibilité (n.f.) : *Qualité qui rend quelqu'un digne de notre confiance.*
80. Préjugé (n.m.) : *Opinion sur de fausses idées, jugement fait à l'avance.*
81. Frustration (n.f.) : *Sentiment désagréable lorsque l'on ne peut obtenir quelque chose, lorsque l'on n'est pas satisfait.*

que j'ai la même coupe. Cheveux aux épaules, légèrement dégradés[82], avec une frange[83] pour cacher mon front trop haut. J'aimerais bien avoir des cheveux comme ceux de Marion Cotillard. Ou non, comme ceux de Scarlett Johansson, ce serait encore mieux ! N'importe quoi ! Je n'ai rien d'une vedette de cinéma. Pourquoi est-ce que je voudrais leur ressembler ?

– Bonjour, Camille ?

– Oui, c'est moi.

– Vous pouvez me suivre. C'est votre tour.

Joseph Laprise s'est adressé à moi sur un ton amical et sympathique. Il a l'air beaucoup plus gentil que sa collègue.

– Alors, de quelle coupe aviez-vous envie ?

– Je ne sais pas. Selon vous, qu'est-ce qui m'irait bien ?

– Laissez-moi voir… Avec la forme de votre visage, je dirais les cheveux plus longs à l'avant et plus courts à l'arrière. Qu'est-ce que vous en pensez ?

– Pourquoi pas !

---

82. Dégradé (adj.) : *Des cheveux dégradés sont coupés de manière inégale, avec des épaisseurs différentes.*
83. Frange (n.f.) : *Cheveux retombant sur le front et généralement coupés jusqu'aux sourcils.*

Je ne suis pas très difficile à convaincre. Un peu de changement ne me fera pas de mal. Après tout, si je suis venue jusqu'à Baie-Comeau pour retrouver un garçon dont j'ignore l'identité, c'est parce que ma vie manquait de nouveauté et de mouvement.

— Je ne vous ai jamais vue ici avant, me lance Joseph. Vous êtes du coin ?

— On allait à la même école toi et moi.

— Ah oui ?

— Oui. Ça te dérange si je te tutoie ?

— Bien sûr que non. À la même école ? Vraiment ? Saint-cœur-de-Marie ?

— Oui.

— On était dans la même classe ?

— Je ne sais pas.

— Comment, tu ne sais pas ?

— Je sais seulement qu'on était dans la même école. C'est Roger le garagiste qui me l'a dit.

— Et pourquoi Roger le garagiste t'a dit ça ?

— C'est une longue histoire…

— Raconte-moi. Tes cheveux aussi sont longs… On en a pour au moins 45 minutes ensemble. Je t'écoute.

J'explique tout à Joseph. Ma vie ennuyante à Montréal. Les 2 000 couleurs auxquelles je dois trouver des noms chaque année. Ma voisine espagnole, mon chat Cyrille, mon collègue Samuel, mon envie d'aller voir ailleurs si j'y suis. La mort de mes parents dans un accident de voiture lorsque j'avais seize ans. Leur grande maison vide. Mes amours impossibles. Ma quête[84] improbable. La raison pour laquelle je suis de retour à Baie-Comeau.

Joseph m'écoute sans rien dire. Emportée par mon propre discours, je ne prête[85] même plus attention à ce qu'il fait avec mes cheveux. Il me tend un miroir afin que je puisse regarder l'arrière de ma tête. Mes cheveux n'ont jamais été aussi courts.

– J'adore ça !

– Tant mieux.

– Je te dois combien ?

– Rien.

– Comment ça, rien ?

– C'est ma tournée.

– Mais non, voyons. Je dois te payer !

– Je ne veux pas d'argent.

---

84. Quête (n.f.) : *Recherche.*
85. Prêter (v.) : *Ici, faire.*

– Qu'est-ce que tu veux, alors ?

– Que tu me promettes une chose.

– Laquelle ?

– Retourne à Montréal au plus vite.

– Pourquoi ?

– Parce que celui que tu cherches se trouve là-bas.

– Comment peux-tu en être aussi sûr ?

– Voyons donc. Ça crève les yeux[86] !

Joseph a raté sa carrière : ce n'est pas coiffeur qu'il aurait dû devenir, mais bien diseur de bonne aventure[87].

Mon amoureux est une fille

Ma journée d'enquête n'a finalement pas donné grand-chose. J'ai rencontré toutes sortes de gens intéressants, mais aucun d'entre eux n'a véritablement su me faire progresser. Il y a seulement cette mystérieuse phrase de Joseph le coiffeur qui pourrait éventuellement mener quelque part : « Ça

86. Ça crève les yeux (expr.) : *C'est évident.*
87. Diseur de bonne aventure : *Personne capable de dire l'avenir à l'avance.*

crève les yeux. » Mais qu'est-ce qui crève les yeux ? Pourquoi semblait-il si convaincu[88] que l'homme qui m'aime sans me le dire se trouve à Montréal ? Je ne vois pas qui ça pourrait être. Je me suis fait peu d'amis depuis que j'habite cette ville. Ma vie sociale se résume à mon travail. Enfin, je ne trouverai certainement pas la réponse avant de retourner chez moi.

Pour l'instant, c'est l'heure du dîner de famille chez les Desforges. J'ai hâte[89] de revoir Karine. Après toutes ces années…

— Camille Beaudoin ! Tu n'as pas changé !

Sébastien, le frère aîné de Karine, me prend chaleureusement dans ses bras. Karine est sortie faire quelques achats de dernière minute. Le reste de la famille me reçoit comme si j'avais toujours fait partie des leurs. Je viens à peine de passer la porte que déjà Sébastien m'offre un verre de vin blanc.

— Qu'est-ce que tu es venue faire à Baie-Comeau, ma belle Camille ?

— Je cherche quelqu'un.

---

88. Convaincu (adj.) : *Persuadé, sûr de quelque chose.*
89. Avoir hâte (expr.) : *Vouloir que quelque chose arrive vite.*

– Qui ?

– Je ne le sais pas exactement.

– Ça va être plutôt difficile de le retrouver si tu ne sais pas qui c'est !

– C'est pour cette raison que je cherche des indices.

– Quel genre d'indices ?

– Des photos, des lettres, des témoignages.

– Tu as toujours été un peu étrange, toi.

– Ah oui ?

– Évidemment ! Ce n'est pas pour rien qu'en 1995, tu avais remporté le titre[90] de personne la plus excentrique de l'école !

– C'est vrai. J'avais oublié ce détail.

– Toi, tu es difficile à oublier, en tout cas.

J'ai l'impression que Sébastien parle d'une autre fille que moi. On a généralement une perception[91] assez fausse de soi-même. Notre entourage nous voit toujours d'un œil différent de celui que nous portons sur notre propre personne. Excentrique. Je ne me suis jamais trouvée excentrique.

J'ai toujours aimé la littérature et les arts visuels, ce qui n'était pas très commun chez les

---

90. Titre (n.m.) : *Nom ou expression qui qualifie une personne.*
91. Perception (n.f.) : *Vision.*

jeunes de mon âge, mais cela faisait-il de moi une personne à ce point extravagante[92] ? Adolescente, j'écoutais de la musique classique, je m'amusais à lire la Bible et j'étais végétarienne. J'avoue que je connaissais peu d'autres jeunes qui partageaient mes passe-temps. Le plus drôle dans tout cela, c'est qu'aujourd'hui, je n'écoute que de la musique populaire, je ne vais jamais à l'église et je mange de la viande en moyenne trois fois par semaine.

— Ma chère Camille ! me lance Karine. Ça fait si longtemps !

— Bonsoir Karine ! Contente de te retrouver.

— Je vois qu'on t'a déjà offert à boire. Tu viens au sous-sol avec nous ? On pensait commencer une partie de karaoké ! Le repas ne sera pas prêt avant une bonne heure encore.

— Je chante comme une baleine[93], tu le sais bien.

— Arrête, tu as une vraie voix de sirène !

Je suis sincèrement heureuse de revoir Karine, mais j'ai le sentiment que ces retrouvailles ne se dérouleront pas exactement comme je l'aurais

---

92. Extravagant (adj.) : *Original, et bizarre.*
93. Chanter comme une baleine (expr.) : *Chanter faux. Expression québécoise.*

souhaité. Elle a le cœur à la fête et ne semble pas disposée[94] à répondre aux questions que j'aurais aimé lui poser. Entre deux refrains de *I will survive*, je me risque quand même à lui demander si elle a encore les lettres qu'on s'est échangées autrefois.

— Bien sûr ! Je les ai toutes ! Ma mère doit les avoir mises dans la chambre d'amis, avec tous nos bricolages d'enfants. Pourquoi tu veux savoir ça ?

— Pour rien.

— Allez, prends le micro maintenant, c'est à ton tour de chanter !

— Je ne la connais pas, cette chanson-là.

— Voyons, tout le monde connaît *Like a prayer* de Madonna !

Obligée de chanter *Like a prayer* devant une dizaine de gens que je connais à peine. La honte.

— *Life is a mystery, everyone must stand alone, I hear you call my name, and it feels like home…*

« La vie est un mystère, tout le monde doit rester seul, je t'entends appeler mon nom, et ça me fait sentir comme à la maison ». Si un jour on faisait un film sur ma vie et sur l'enquête que je

---

94. Être disposé (adj.) : *Être prêt, avoir envie.*

suis venue mener à Baie-Comeau, cette chanson devrait figurer sur la trame sonore[95].

Maintenant que ma performance est terminée, un léger étourdissement[96] me prend. Ce doit être l'émotion. Ou la gêne. Je ne suis décidément pas faite pour une carrière de chanteuse. Une vague de chaleur monte dans ma poitrine. Karine m'offre d'aller me reposer dans la chambre d'amis une quinzaine de minutes. Elle viendra me chercher lorsque le repas sera servi.

Cinq minutes plus tard, je vais déjà beaucoup mieux. Les paroles prononcées par Karine un peu plus tôt remontent dans ma tête. « Ma mère doit les avoir mises dans la chambre d'amis, avec tous nos bricolages d'enfants. » Les lettres. Elles se trouvent dans cette pièce. Je dois mettre la main dessus[97].

J'ouvre l'armoire. Des dizaines de boîtes y sont empilées[98]. Des costumes, des décorations de Noël, des balles de laine, de vieux pots de peinture, des outils, des bricolages d'enfants. Et les lettres. Elles

---

95. Trame sonore : *Bande-son, musiques qui accompagnent un film.*
96. Étourdissement (n.m.) : *Sentiment de faiblesse et de perte des repères.*
97. Mettre la main sur quelque chose (expr.) : *Trouver.*
98. Empilé (adj.) : *Placées les unes sur les autres.*

sont toutes là. Au fond de la boîte se trouve également ce qui a toutes les apparences d'un journal intime. Je ne peux résister. Je l'ouvre.

Il s'agit du cahier dans lequel Karine écrivait tous ses états d'âme[99]. La première entrée[100] remonte à 1990 et la dernière, à 2001. Je me sens comme une criminelle. Je n'ai pas le droit de fouiller[101] ainsi dans son jardin secret. Mais c'est plus fort que moi.

« *12 juin 1990*

Audrey et moi, on ne se parle plus. Elle est trop stupide. Elle n'arrête pas de parler dans le dos[102] des autres. Je n'ai pas besoin d'amies comme elle.

…

28 octobre 1991

Je suis allée au cinéma avec Camille aujourd'hui. Nous avions dit à nos parents que nous allions voir La belle et la bête *(ils sont vraiment bêtes de nous avoir crues !). Nous avons vu le film* Thelma &

---

99. État d'âme : *Émotion, sentiment, humeur ou pensée intime.*
100. Entrée (n.f.) : *Ici, date (le premier événement raconté dans le journal).*
101. Fouiller (v.) : *Chercher, explorer avec soin.*
102. Parler dans le dos (expr.) : *Dire des méchancetés sur une personne quand celle-ci n'est pas là.*

Louise. *C'était vraiment bien. Geena Davis et Suzan Sarandon sont tellement belles. J'aimerais ça, faire un* roadtrip[103] *avec Camille un jour !*

...

16 décembre 1991

Je ne sais pas ce qui me prend, je me sens tout drôle depuis quelque temps. On dirait que je suis amoureuse.

...

4 janvier 1992

Je n'ai pas vu Camille pendant les Fêtes. Elle était partie dans la famille de sa mère au Lac Saint-Jean. Elle m'a vraiment manqué. Je n'aime pas quand on est séparées.

...

8 mars 1992

Je n'arrive pas à déterminer[104] *si Camille ressent la même chose que moi. Comment fait-on pour savoir que quelqu'un est amoureux de nous ? L'autre soir, on lisait des revues dans sa chambre en écoutant le dernier disque d'Aerosmith, puis on s'est coiffées et maquillées. Quand Camille a terminé de faire ma tresse*[105]*, elle a*

---

103. Roadtrip (n.m.) : *Un long voyage en voiture.*
104. Déterminer (v.) : *Ici, savoir.*
105. Tresse (n.f.) : *Trois mèches de cheveux croisées et nouées ensemble.*

51

continué de jouer dans mes cheveux pendant plusieurs minutes. J'avais des frissons[106] partout. J'aimerais bien l'embrasser un jour. Je suis sûre que ce serait bon. Mais on n'a pas le droit. Deux filles ne peuvent pas s'embrasser. Qu'est-ce que les gens penseraient ? »

Je n'aurais jamais dû lire ce journal. Mon mal de cœur est revenu. Ce n'est pas que ça me rend malade d'apprendre que Karine a déjà été amoureuse de moi, au contraire. C'est plutôt flatteur[107]. Cependant, ça remet tout en question. Je comprends à quel point j'ai été aveugle[108]. Je n'ai jamais vu le monde qui m'entourait comme il était réellement. Dans quel univers est-ce que je vivais ? Si Karine, ma meilleure amie pendant si longtemps, avait pu être amoureuse de moi sans que je ne m'en aperçoive, tellement d'autres choses improbables[109] avaient dû se produire sous mes yeux sans que je ne les voie passer.

Je suis venue à Baie-Comeau dans l'idée de retrouver un garçon qui avait déjà été secrètement

---

106. Frisson (n.m.) : *Tremblement causé généralement par le froid ou la peur.*
107. Flatteur (adj.) : *Agréable, qui embellit, qui est comme un compliment.*
108. Aveugle (adj.) : *Qui ne voit pas.*
109. Improbable (adj.) : *Qui a peu de chance d'arriver, d'avoir lieu.*

amoureux de moi. À aucun moment je n'avais imaginé que je pourrais trouver une *fille* qui m'ait aimée pendant des années. Un tel revirement[110] de situation n'était pas prévu.

Est-ce que ça compte ? Est-ce que je peux considérer avoir trouvé la réponse que je cherchais et arrêter mon enquête ? Je décide de faire semblant de rien. J'essaierai d'agir comme si j'ignorais ce que Karine a véritablement ressenti pour moi à une certaine époque.

La table est mise. Le repas a l'air délicieux. Des pâtés, des salades, des pommes de terre, une dinde[111] immense. Sébastien s'assied à mes côtés. Il n'arrête pas de me servir du vin. À ce rythme, je n'aurai aucune difficulté à oublier ce que j'ai appris en lisant le journal de Karine. L'alcool effacera tout.

---

110. Revirement (n.m.) : *Changement brusque et complet.*
111. Dinde (n.f.) : *Volaille (oiseau) semblable au poulet, mais beaucoup plus grosse, qu'on mange traditionnellement au Québec lors des fêtes comme Noël ou l'Action de grâce (*Thanksgiving*).*

Au bout du fil

La soirée d'hier a été beaucoup trop arrosée[112]. J'ai mal à la tête. Il me faudrait un bon repas pour remplacer l'alcool que j'ai dans le sang par du gras et des protéines. Je décide donc d'aller déjeuner au restaurant L'Orange Bleue. Cet endroit a ouvert après mon départ de Baie-Comeau pour Montréal. Son nom m'inspire.

La serveuse est une grande blonde, fin vingtaine. Ses seins n'ont pas l'air vrais. Son sourire aussi paraît faux. Elle prend ma commande en me dévisageant[113].

– Vous n'êtes pas du coin, vous.

– C'est juste. Je viens de Montréal.

– Vous êtes une vedette ?

– Haha ! Non, pas du tout ! Je ne suis personne en particulier.

– C'est drôle, vous me faites penser à quelqu'un. Je n'arrive pas à trouver qui.

– J'ai un visage assez commun. Je pourrais ressembler à n'importe qui.

– Non, non. Je vous ai déjà vue quelque part.

– Eh bien.

---

112. Une soirée arrosée : *Une soirée où l'on boit beaucoup.*
113. Dévisager (v.) : *Regarder avec insistance.*

J'avale une omelette immense et au moins trois tasses de café. Je tremble comme une feuille d'érable[114] à l'automne. Mon téléphone portable vibre[115] dans ma poche. C'est ma sœur. Elle a entendu dire que j'étais à Baie-Comeau. Décidément, les nouvelles voyagent vite.

— Et tu n'avais pas l'intention d'en profiter pour rendre visite à ta sœur chérie ?

— Si j'ai du temps, je vais passer te dire bonjour, c'est promis.

— Qu'est-ce que tu fais en ville au juste ? J'ai le droit de le savoir au moins ?

Je lui explique la raison de ma venue. Comme prévu, elle rit de moi et qualifie mon entreprise de « ridicule ». Je trouve une excuse pour mettre fin à la conversation.

Lorsqu'elle me ramène la carte de crédit avec laquelle j'ai payé, Valérie, la serveuse, se souvient finalement où elle m'a déjà vue.

— Tu es Camille Beaudoin !

— Exact. On se connaît ?

---

114. Érable (n.m.) : *Arbre très répandu au Canada (une feuille d'érable est d'ailleurs dessinée sur le drapeau canadien).*
115. Vibrer (v.) : *Trembler, faire des petits mouvements. Un téléphone peut vibrer pour signaler un appel.*

– J'ai tellement entendu parler de toi quand j'étais petite !

– Ah oui ? Par qui ?

– Mon frère !

– Ton frère ? Qui est ton frère ?

– Julien Thériault.

Julien Thériault est mort à 16 ans, pas très longtemps avant le bal des finissants. Il s'est pendu[116] dans le sous-sol chez ses parents. On dit souvent que la vie ne tient qu'à un fil[117]. Julien, lui, a choisi de s'étouffer[118] au bout de ce fil-là.

Je ne sais pas quoi dire à Valérie. Elle parle de son frère comme s'il était encore parmi nous et que rien de tragique n'était arrivé. Je me risque à lui poser la question qui me brûle les lèvres[119].

– Pourquoi Julien te parlait si souvent de moi ?

– Voyons, tu ne le savais pas ?

– Non… Quoi ? Qu'est-ce que j'aurais dû savoir ?

– Mon frère était tellement amoureux de toi, c'était une maladie !

---

116. Se pendre (v.) : *Se tuer avec une corde autour du cou.*
117. La vie ne tient qu'à un fil (expr.) : *La vie est fragile.*
118. S'étouffer (v.) : *Mourir par manque d'air.*
119. Une question qui brûle les lèvres (expr.) : *Une question que l'on a très envie de poser.*

– Sérieusement ?

– Passionnément ! Il parlait de toi tout le temps. Il avait affiché des photos de toi partout sur les murs de sa chambre.

Julien et moi n'étions pas vraiment amis. Il habitait la même rue que ma famille et nous avions été dans la même classe à quelques reprises[120], sans plus. Il était plutôt gentil, mais ses parents étaient sévères et l'empêchaient souvent de sortir. Je ne le voyais jamais en dehors de l'école.

Apprendre qu'il a eu des sentiments à mon égard[121] me trouble. Je ne peux pas me retenir de penser que son amour pour moi a eu quelque chose à voir dans son suicide[122]. Je me sens soudain très mal. Mes jambes sont molles et mon cœur bat rapidement. Est-ce moi qui ai tué Julien Thériault ?

Deux faits m'apparaissent clairement : je ne pourrai jamais vivre avec cette tragédie sur la conscience et j'ai officiellement bu trop de café.

– Tes parents habitent toujours dans la même maison, Valérie ?

– Oui.

---

120. À quelques reprises (expr.) : *Plusieurs fois.*
121. À mon égard : *Envers moi, pour moi.*
122. Suicide (n.m.) : *Action de se donner soi-même la mort.*

– Je pourrais aller leur rendre visite, tu crois ?

– Pourquoi ?

– Je voudrais leur poser des questions.

– À quel sujet ?

– À propos de Julien.

– Oh. Ma mère ne parle que de lui tout le temps, ça tombe bien[123]. Elle est devenue à moitié folle après la mort de mon frère. Elle n'a jamais voulu qu'on touche à sa chambre, même pas pour la repeindre. Tout est encore là, comme il y a 20 ans.

– Tu crois qu'ils me laisseront la voir ?

– Sa chambre ? Évidemment. Ma mère va probablement même t'offrir une visite guidée.

Grâce à mon excès de café, je suis pleine d'énergie. Je pourrais faire le tour de la ville cinq fois sans me fatiguer. Mon enquête vient de prendre une toute nouvelle direction. Mon objectif principal n'est plus de savoir si un garçon m'a déjà aimée en secret, mais plutôt de découvrir si l'amour que Julien m'a porté a fini par le tuer.

---

123. Ça tombe bien (expr.) : *Ça arrive au bon moment, c'est une belle coïncidence.*

La méchanceté sort de la bouche des enfants

Claudine Taillefer, la mère de Julien, m'a tout de suite reconnue. Elle m'appelle « ma chère Camille ». Pas besoin de la prier[124] pour qu'elle accepte de me faire visiter la chambre de son garçon. Elle semble croire qu'en faisant entrer des gens dans la chambre de son adolescent mort trop jeune, elle réussira à garder une partie de lui vivante. Ainsi, le souvenir de son fils ne s'éteindra jamais.

Contrairement à ce que Valérie m'a dit, les murs de la pièce ne sont pas recouverts de photos de moi. Claudine les a probablement enlevées. Cela devait être trop difficile de voir chaque jour le visage de celle qui avait mené son fils à la mort. Elle m'en veut sûrement beaucoup. Elle me trouve probablement effrontée[125] d'avoir mis les pieds chez elle. Il faut que je trouve le moyen de m'excuser... Mais comment aurais-je pu empêcher un tel drame ? Je n'ai même pas le souvenir d'avoir une seule fois dit « Bonjour » à Julien. Pour moi, il n'a été qu'un

---

124. Prier (v.) : *Ici, demander poliment mais avec insistance.*
125. Effronté (adj.) : *Qui se comporte d'une manière déplacée, qui n'a pas honte.*

garçon parmi tant d'autres. Pour lui, j'avais plutôt été la fille qui se distingue[126] de toutes les autres.

– Ma chère Camille, murmura Claudine, tu prendrais un peu de thé ?

– Avec plaisir.

– Dis-moi, pourquoi tu voulais voir la chambre de mon Julien ?

– C'est que j'ai croisé votre fille Valérie aujourd'hui. Elle m'a tout raconté, au sujet de l'amour que Julien éprouvait[127] pour moi. J'ignorais que… Je suis tellement désolée de ne pas avoir eu la chance de mieux le connaître…

– Qu'est-ce que Valérie t'a dit au juste ?

– Eh bien, que Julien était amoureux de moi. Et que c'est probablement pour cette raison qu'il s'est enlevé la vie.

– Ma pauvre enfant… Il ne faut pas croire tout ce que Valérie raconte.

– Pourquoi ?

– Valérie a quelques problèmes psychologiques. Il lui arrive de cesser de prendre ses médicaments. Dans ces moments-là, elle invente des histoires toutes plus folles les unes que les autres.

---

126. Se distinguer (v.) : *Qui est différente, qui se détache du groupe.*
127. Éprouver (v.) : *Ressentir, sentir.*

– Mais… Julien s'est vraiment suicidé, non ?

– Oui. Malheureusement… Et Valérie n'a pas supporté le départ de son frère. C'est à partir de ce jour que sa maladie est apparue. Les médecins disent qu'elle est schizophrène[128]. Pour ma part, je crois surtout qu'elle est très, très triste…

– Je… je peux vous demander pourquoi Julien s'est enlevé la vie alors ?

– Mon petit Julien ne tolérait plus les railleries[129] de ses camarades de classe. Avant de partir, il a laissé une lettre, dans laquelle il expliquait qu'il n'en pouvait plus d'être leur souffre-douleur[130].

– C'est affreux !

– Je sais. Les enfants peuvent être extrêmement méchants. Mon Julien a payé le prix de cette méchanceté. Mais je n'en veux pas à ces jeunes. Ils ne savaient pas ce qu'ils faisaient…

Je suis partagée entre plusieurs sentiments. D'abord, le soulagement : je ne suis pas la cause de la mort de Julien Thériault. Ensuite, la haine à l'égard de ceux qui l'ont poussé à se suicider. Puis,

---

128. Schizophrène (adj.) : *Qui souffre d'une maladie mentale caractérisée par des pertes de contact avec le réel.*
129. Raillerie (n.f.) : *Parole méchante.*
130. Souffre-douleur (n.m.) : *Personne maltraitée par les autres, personne dont on se moque ou à qui on fait du mal régulièrement.*

un mélange de colère et de pitié envers Valérie qui m'a menti. Enfin, la déception : je n'ai toujours pas trouvé ce que je cherchais. Julien ne m'a jamais aimée. Pas plus qu'il ne s'est aimé lui-même. Du moins, l'amour qu'il se portait n'a pas été assez grand pour le protéger de la cruauté[131] des autres.

Valérie n'a jamais entendu parler de moi par son frère. Elle se rappelait de moi simplement parce que nous avions habité la même rue autrefois. Elle a dû entendre la conversation téléphonique avec ma sœur au restaurant, c'est pour cela qu'elle a inventé que son frère avait été amoureux de moi : elle connaissait la raison de ma présence à Baie-Comeau. Et elle s'est rappelé mon nom parce qu'elle l'a lu sur la carte de crédit avec laquelle j'ai payé mon repas.

---

131. Cruauté (n.f.) : *Méchanceté, fait d'aimer faire souffrir les autres.*

TROISIÈME PARTIE

Jaune

La case départ

La route du retour m'a paru interminable. J'ai parcouru d'une traite[132] les 665 kilomètres qui séparent Baie-Comeau de Montréal. J'avais hâte d'être chez moi, de dormir dans mon lit et de caresser mon chat.

Madame Fernandez a laissé une note sur la porte de mon appartement :

« Monsieur Cyrille va bien. Je lui ai fait écouter des airs de tango pour le distraire. N'oubliez pas de lui acheter des croquettes, il n'a presque plus rien à manger. Bon retour, mademoiselle Camille ! Rita Fernandez »

Je rêve d'une douche bien chaude et de mets[133] chinois. Je n'ai aucune envie d'aller travailler

132. D'une traite (expr.) : *En une seule fois.*
133. Mets (n.m.) : *Plat, nourriture. Au Québec, on parle de « mets chinois » pour désigner les plats d'inspiration chinoise.*

demain. Cette semaine de vacances a défilé[134] beaucoup trop rapidement. J'ai passé les deux derniers jours chez ma sœur. Elle m'épuise. Nous nous sommes disputées la moitié du temps. J'ai du mal à croire que nous partageons le même sang.

Dire que ce voyage à Baie-Comeau n'aura finalement rien donné… Me voilà de retour à la case départ[135], avec un seul indice en poche, laissé par Joseph le coiffeur : « Ça crève les yeux. »

Les yeux crevés[136]

7 h 59. Je suis assise à mon poste de travail, fidèle et ponctuelle[137], malgré mon manque évident de motivation. Des tonnes de papier se sont accumulées[138] sur mon bureau pendant mon absence. Je ne me sens pas le courage de les parcourir et de les classer. J'allume mon ordinateur. Six cent cinquante-deux messages non lus m'attendent dans

---

134. Défiler (v.) : *Passer.*
135. Être de retour à la case départ (expr.) : *Se retrouver au même point qu'au début, ne pas avoir progressé, avancé.*
136. Crevé (adj.) : *Troué, Percé.*
137. Ponctuel (adj.) : *À l'heure, qui respecte les horaires.*
138. S'accumuler (v.) : *S'ajouter les uns aux autres, se réunir progressivement pour former un ensemble important.*

ma boîte de réception. Aucun d'entre eux ne doit être vraiment important. Je ne sauve aucune vie avec mon travail. La terre continuerait de tourner sans problème, même si je décidais de tout laisser tomber et de rentrer chez moi. Je me demande ce que je fais là. Pourquoi je suis revenue ? Qu'est-ce qui me retient ici ?

8 h 11. Samuel a quelques minutes de retard. Une panne de service a bloqué le métro.

– Wow ! s'exclame-t-il. C'est beau tes cheveux !

– Oh, merci. Ce n'est pas trop court ?

– Non, non, au contraire. Ça te va très bien.

– Tu es gentil.

– Tu nous as manqué, tu sais !

– Nous ? C'est qui, nous ? Toi et Monsieur Paradis ?

– Eh bien, à moi, en tout cas. Tu m'as manqué.

– Je…

À l'extérieur, un rayon de soleil perce[139] les nuages et traverse la fenêtre du bureau pour se rendre jusqu'à moi. Pendant un instant, je suis aveuglée par toute cette lumière qui éclaire le visage de Samuel et lui donne un teint presque doré. Il

---

139. Percer (v.) : *Faire un trou. Ici, dans les nuages.*

ne m'est jamais apparu aussi beau et souriant. J'ai l'impression que je me suis ennuyée de lui. C'est peut-être lui, la raison pour laquelle je suis incapable de quitter mon emploi. Et si… « Ça crève les yeux. » La lumière. Samuel. Mais oui. J'aurais dû y penser avant.

12 h 02. Samuel et moi mangeons en silence dans la salle des employés. Les autres sont partis déjeuner à l'extérieur. Je mords dans mon sandwich sans conviction[140]. Je n'ai pas faim. Trop de questions me tourmentent[141].

— Samuel ?

— Oui, Camille ?

— Non, rien. Laisse tomber.

— Tu es sûre ? Qu'est-ce qu'il y a ?

— Rien. Rien. C'est dans ma tête.

Je suis idiote. Ça ne se pose pas comme question « Est-ce que tu serais amoureux de moi, par hasard ? » Sur quoi je me base pour avancer une telle hypothèse ? Je me trompe sûrement.

— Tu es bizarre aujourd'hui, ajoute Samuel. Tu es sûre que ça va ?

— Oui, oui.

---

140. Sans conviction : *Sans croire à quelque chose, sans enthousiasme.*
141. Tourmenter (v.) : *Donner du tracas, inquiéter.*

– Ton voyage à Baie-Comeau s'est passé comme tu le souhaitais ?

– Pas tout à fait.

– Oh, désolé de l'entendre… Est-ce que j'aurais pu t'aider d'une manière ou d'une autre ?

– Peut-être…

– Comment ?

– Oublie ça. Je me trompe. Tu ne peux probablement rien faire pour moi.

– Je suis là, si jamais tu changes d'avis.

14 h 45. Je n'arrive pas à me concentrer sur mes tâches. J'observe Samuel du coin de l'œil. J'analyse tout ce qu'il fait, à l'affût[142] d'un geste, d'un sourire, d'un regard qui pourrait trahir ses sentiments à mon égard. J'espère qu'il ne remarquera pas mon petit jeu. Il me trouverait complètement folle.

16 h 58. Dans deux minutes, je pourrai enfin rentrer chez moi. Cette journée est interminable.

19 h 07. Je mange un bol de nouilles, assise sur le plancher du salon. Mon assiette est encore pleine. Je n'ai plus faim. Je n'arrête pas de penser à Samuel. Cyrille me boude[143].

---

142. Être à l'affût (expr.) : *Être très attentif, surveiller, guetter.*
143. Bouder (v.) : *Montrer sa mauvaise humeur, son mécontentement, souvent en prenant ses distances avec quelqu'un.*

Minuit. Je ne dors pas encore. Une nouvelle question tourne en boucle[144] dans ma tête : est-ce Samuel qui est amoureux de moi ou moi qui suis amoureuse de Samuel ?

Jaune serin[145]

Samuel m'a invitée à dîner chez lui. « N'apporte rien, m'a-t-il précisé, je m'occupe de tout. » Des parfums de tomate et de romarin s'échappent de la pièce lorsqu'il m'ouvre la porte. Il a mis une jolie chemise jaune serin. Je crois que cette couleur n'avantage personne sauf lui. Il me propose de prendre mon manteau et va le déposer sur son lit. Il habite un loft. L'espace à aire ouverte[146] respire la fraîcheur. Les murs, le plafond, tout est blanc. Comme chez moi. Par contre, chez moi, le blanc est triste, le blanc est vide. Ici, le blanc semble plus lumineux, plus joyeux. Comme si le blanc était une couleur. La couleur contenant toutes les autres. Le

---

144. Tourner en boucle (expr.) : *Revenir sans cesse, se répéter.*
145. Serin (n.m. ici employé comme adjectif) : *Petit oiseau de couleur jaune associé à l'idée de la joie et de la bonne humeur.*
146. Espace à aire ouverte : *Espace ouvert, grande pièce réunissant le salon, la salle à manger et parfois la cuisine.*

bleu, le rouge et le jaune se mélangent pour donner la teinte de tous les possibles. Pour mettre fin au silence, je demande :

— Qu'est-ce que tu nous prépares pour dîner ?

— Des lasagnes aux légumes. Ça te convient ?

— Bien sûr. Je sais que tu m'as dit de ne rien apporter, mais je n'ai pas pu résister ; j'ai pris une bouteille de Tempranillo. Ça devrait bien accompagner le repas.

— Tu n'aurais pas dû ! Je te sers un verre tout de suite ?

— Oui, pourquoi pas.

— À quoi est-ce qu'on trinque[147] ?

— Bonne question. Tu vois, on me paye parce que j'ai de l'imagination, mais je ne suis jamais capable de répondre lorsqu'on me pose les questions les plus simples !

— Moi, j'ai une idée.

— Laquelle ?

— On pourrait trinquer à la vérité.

— OK. À une vérité en particulier ?

---

147. Trinquer (v.) : *Faire sonner légèrement son verre contre celui d'une personne avec qui on boit. En général, ce geste accompagne un vœu, un souhait, un hommage ou une célébration.*

— Celle que je vais te révéler[148] dans quelques instants.

— Tu me fais peur.

— Ne sois pas effrayée. Écoute-moi, tout simplement. Après, tu partiras en courant si tu en as envie. Mais écoute-moi d'abord.

J'ai des papillons dans le ventre[149] et mes jambes n'arrivent plus à supporter mon poids. Samuel prend une grande respiration et se met à parler très rapidement, comme s'il avait peur de ne pas avoir assez de souffle pour aller au bout de son idée.

— La première fois que je t'ai vue, Camille, j'ai tout de suite su que tu étais celle que j'avais toujours cherchée. Cela fait maintenant dix ans que nous travaillons ensemble. Dix ans que je cherche le courage de te dire ce que je ressens. J'aurais dû me décider bien avant, mais ce n'était jamais le bon moment. Mais pendant la dernière semaine, ton absence m'a été insupportable[150]. Je ne veux plus jamais que ça se reproduise. Je ne veux plus jamais

---

148. Révéler (v.) : *Faire connaître quelque chose qui était inconnu, secret.*
149. Avoir des papillons dans le ventre (expr.) : *Sensation physique d'une émotion, d'un état de nervosité.*
150. Insupportable (adj.) : *Impossible à supporter.*

me retrouver aussi loin de toi, aussi longtemps. Peut-être que tu me trouveras déplacé, stupide ou complètement fou, mais j'avais besoin de te dire tout ça. J'avais besoin de te dire que depuis dix ans, je t'aime.

– …

– Tu ne dis rien ?

– Je le savais.

– Tu le savais ?

– Oui.

– Comment ça ?

– À cause de Joseph.

– Qui est Joseph ?

– Le coiffeur de Baie-Comeau.

– Je ne comprends pas.

– C'est lui qui m'a tout révélé.

– Il t'a dit que j'étais amoureux de toi ?

– Oui. Non. Enfin, presque. Pas dans ces mots-là, mais c'est ce que ça voulait dire.

– Qu'est-ce qu'il t'a dit exactement ?

– « Ça crève les yeux. »

Rêver en couleurs

Je me suis réveillée en sueur[151]. J'ai caressé les draps avec ma main droite, à la recherche d'un corps endormi. Il n'y avait personne à côté de moi. Je suis allée à la cuisine. Elle était vide aussi. Aucune trace de Samuel. J'ai dormi seule, comme toujours. Et personne ne m'a préparé de lasagnes hier soir.

Je suis en retard. Je devrais appeler mon patron pour l'avertir[152] que je ne serai pas au travail avant 10 h 00. Je prends le téléphone et compose plutôt le numéro de Joseph le coiffeur.

– Coiffure Elle et Lui, bonjour ?

– Bonjour, je pourrais parler à Joseph, s'il vous plaît ?

– Lui-même à l'appareil !

– Bonjour Joseph, je suis Camille. Tu m'as coupé les cheveux il y a quelques jours. J'habite Montréal et j'étais de passage à Baie-Comeau…

– Camille ! Bien sûr, je me rappelle de toi. La chasseuse amoureuse !

---

151. Sueur (n.f.) : *Transpiration, gouttes d'eau qui sortent de la peau.*
152. Avertir (v.) : *Prévenir. Donner une information à l'avance.*

– Si on veut, oui. Écoute, je ne sais pas si tu te souviens… Tu m'avais répondu : « Ça crève les yeux ». Comme si tu connaissais l'identité de celui que je cherchais.

– C'est possible.

– Je peux savoir ce que tu voulais dire par là ?

– Rien de particulier.

– Tu m'avais pourtant déclaré qu'il était à Montréal. Qui est-ce, d'après toi ?

– Aucune idée !

– Pourquoi tu as dit ça alors ?

– Je devais simplement vouloir dire que tu avais plus de chances de rencontrer l'homme de ta vie à Montréal qu'à Baie-Comeau… C'est mathématique. Il y a beaucoup plus de beaux garçons dans la grande ville que dans le fond de la campagne… Crois-moi, je sais de quoi je parle !

– C'est tout ?

– C'est tout. Tu pensais sincèrement qu'un simple coiffeur comme moi allait pouvoir te donner la réponse à toutes tes questions existentielles[153] ?

– Pourquoi pas ?

---

153. Existentiel (adj.) : *Qui concerne l'existence, la réalité, le sens de la vie.*

– Ma chérie, je suis expert en coloration, moi. Rien d'autre.

Joseph a raison. Je me raconte des histoires. Je m'imagine pouvoir trouver le bonheur simplement en trouvant quelqu'un qui m'aime. Et j'espère que des inconnus sauront me dire où se cache cette personne. Je leur fais davantage confiance qu'à moi-même. C'est stupide.

Monsieur Paradis n'a même pas remarqué que j'étais en retard. Je suis assise à mon poste depuis quinze minutes. Je n'ai pas encore allumé l'ordinateur. Je fixe Samuel, qui ne s'aperçoit de rien. Il est trop concentré. Je me lève et me dirige vers le bureau de mon patron.

– Je peux vous parler quelques minutes ?

– D'accord, mais faites ça rapidement, mademoiselle Beaudoin. Je suis débordé[154].

– Je n'en ai pas pour très longtemps. Je voulais simplement vous dire que je m'en vais.

– Vous vous en allez où encore ? Vous venez tout juste de rentrer de vacances !

---

154. Débordé (adj.) : *Très occupé, avoir trop de choses à faire au point de ne pas y arriver.*

– Cette fois-ci, je m'en vais pour de bon. Je démissionne[155].

– Impossible.

– Comment ça, impossible ?

– J'ai besoin de vous.

– Peut-être, mais moi, j'ai besoin d'être ailleurs.

– Vous allez faire quoi ? Vous ne pouvez pas arrêter de travailler. Vous avez besoin d'argent, comme tout le monde !

– Je trouverai bien un moyen de me débrouiller[156].

– C'est n'importe quoi.

– Je vais vous le dire, moi, ce qui est n'importe quoi : passer ses journées à trouver des noms à des teintes de peinture toutes plus laides les unes que les autres !

Monsieur Paradis me dévisage, du mépris[157] dans les yeux. Il est incapable d'ajouter quoi que ce soit.

---

155. Démissionner (v.) : *Quitter son emploi.*
156. Se débrouiller (v.) : *Trouver une solution, s'arranger.*
157. Mépris (n.m.) : *Absence de respect, jugement négatif sur quelqu'un que l'on considère comme inférieur.*

Une grande légèreté m'envahit. Je retourne à mon poste de travail le sourire jusqu'aux oreilles. Il ne me reste plus qu'à reprendre mes effets personnels.

– Qu'est-ce que tu fais, Camille ? me demande Samuel.

– Je rentre chez moi.

– Tu ne te sens pas bien ?

– Au contraire, il y a longtemps que je ne m'étais pas sentie aussi bien !

– Pourquoi tu t'en vas alors ?

– Parce que depuis cinq minutes et trente-quatre secondes très précisément, je ne travaille plus ici !

– Monsieur Paradis t'a mis à la porte ? Il n'a pas osé faire ça ?

– Non, non, ne t'inquiète pas. Je me suis renvoyée toute seule.

– Tu vas faire quoi ?

– Qu'est-ce que vous avez tous à me poser cette question ? Ça change quoi, ce que je vais faire ? Pourquoi vous ne me demandez pas ce que je vais être à la place ?

– Tu vas être quoi, alors ?

– Libre. Je vais être libre.

– On va se revoir ?

– On ira prendre un verre si tu veux. En passant, j'ai rêvé à toi la nuit dernière. Et le jaune, ça te va vraiment bien.

J'en ai assez de me faire croire que je mène une existence qui me convienne. C'est terminé, le temps où je ne faisais que rêver en couleurs[158].

À partir de maintenant, j'ai envie de vivre en couleurs.

---

158. Rêver en couleurs (expr.) : *Être irréaliste, être trop optimiste (expression québécoise).*

Crédits

Principe de couverture : David Amiel et Vivan Mai
Direction artistique : Vivan Mai
Crédits iconographiques de la couverture : Stephen Swintek/ Getty Images

Mise en pages : Nelly Benoit

Enregistrement, montage et mixage : BUND

ISBN 9782278080946 – ISSN 2270-4388

Achevé d'imprimer en novembre 2021 sur les presses numériques de Jouve Print
(Mayenne) - Imprimé en France

Dépôt légal : 8094/05
N° d'impression : 2967637P